Jeannine Langlois

Passion de
Septuagénaires

La Plume d'Oie
ÉDITION

Catalogage avant publication de la Bibliothèque
nationale du Canada
Langlois, Jeannine, 1929-
        Passion de septuagénaires
        ISBN   2-923063-05-8
        I. Titre.
PS8573.A578P37 2003 C843'.6C2003-941665-8
PS9573.A578P37 2003

ISBN : 2-923063-05-8

Dépôt légal – Bibliothèque nationale du Québec, 2003

Dépôt légal – Bibliothèque nationale du Canada, 2003

Dessin de la page de couverture : Normand Cousineau

La Plume d'Oie

ÉDITION - CONCEPT

199, des Pionniers Ouest

Cap-Saint-Ignace (Québec) G0R 1H0

Téléphone et télécopieur : 418-246-3643

Courriel : info@laplumedoie.com

Site Internet : laplumedoie.com

REMERCIEMENTS

À mes enfants
> Lucie Normand
> Daniel Élaine
> Louis

À Johanne
Jeannine
Danielle
Louise
Marie-Claire

Sans qui, ce livre n'aurait pu exister.

Après plus de huit années d'existence, La Plume d'Oie prend cette année un nouveau virage. Fières d'avoir jusqu'à présent donné la chance à plus de 200 auteurs de publier un premier livre, voici que nous avons décidé de puiser, parmi les nombreux manuscrits reçus chaque année, quelques titres sélectionnés selon des critères bien précis, afin de les éditer selon le mode traditionnel.

Le roman de madame Jeannine Langlois nous a conquises dès la première lecture. Écrit dans un style concis, rempli d'images savoureuses, il possède en outre la grande qualité de nous réconcilier avec l'idée même du vieillissement. Sur les traces d'Hélène et de Clément, on perd toute envie de s'apitoyer sur son sort. Leur énergie débordante nous incite au contraire à saisir la vie à pleines mains, à en extirper toute la saveur. L'humour subtil de Jeannine Langlois nous emplit d'une émotion qui favorise les élans du corps et du cœur. Ce petit bijou de roman nous convainc qu'on n'a jamais fini d'être jeune, qu'il n'est jamais trop tard pour aimer.

Parce que nous considérons qu'il regroupe de nombreuses qualités rejoignant notre souci de véhiculer avant tout des valeurs dites humaines, La Plume d'Oie est fière de présenter le premier roman de Jeannine Langlois : *Passion de septuagénaires*.

Micheline Pelletier, pdg
La Plume d'Oie Édition

PRÉFACE

Heureux lecteur qui tient ce livre entre tes mains !

Je te tutoie, car j'ai le goût de te susurrer à l'oreille, du fond de mon âme, la joie qui sera tienne à la lecture de ce texte.

J'ai rencontré Jeannine Langlois dans le cadre d'un atelier de création littéraire que j'animais il y a quelques années. Jamais je n'oublierai ce jour... Elle nous a lu une page de ce qui allait devenir *Passion de septuagénaires*, alors intitulé, simplement, *Clément*. J'ai été immédiatement conquise. En substance tout y était déjà, je ne sais comment l'expliquer, mais j'ai senti qu'il y avait là un livre à naître. Duras a écrit à propos de ce phénomène : « Je ne sais pas ce que c'est un livre. Personne ne le sait. Mais on sait quand il y en a un. Et quand il n'y a rien, on le sait comme on sait qu'on est, pas encore mort. » [1] Voilà donc mon

---

1   DURAS, Marguerite. *Écrire*, Paris, Gallimard, nrf, 1993, p. 42.

émotion à la première lecture de cette première, et alors unique, page. Et je l'ai partagée avec Jeannine, peut-être a-t-elle eu l'impression d'une hurluberlue dithyrambique, je ne sais pas. Mais lors de ces années d'enseignement il m'a été donné de lire des milliers de pages d'étudiants et d'étudiantes, et bien peu m'ont fait l'effet de celle de Jeannine Langlois.

Encore restait-il à l'écrire cette histoire au charme fou... Cette histoire qui, par ses propos, touche à l'universel. Cette histoire où il est question d'amour, de vie et de mort. Écrit-on jamais sur autre chose ? Or, la plus grande qualité de ce texte est peut-être son originalité déconcertante. Certains moments sont graves, comme la vie peut l'être, mais même dans les passages plus sombres, la voix reste fraîche. Presque virginale, pure, une autre de ses grandes qualités. Laisse-toi séduire lecteur, laisse-toi emporter ; tu seras ému aux larmes, or tu éclateras de rire aussi. Comme la vie...

Jeannine Langlois a rendu son livre à terme, l'a accouché. Alléluia ! Un livre est né. Et elle nous l'offre maintenant. Bien que la matière soit passionnante, la forme n'est pas en reste, cette histoire est « écrite » au sens littéraire du terme. D'un spermatozoïde littéraire (?), elle a fait acte de création avec sa singulière sensibilité et une suavité du ton allant parfois jusqu'à l'ironie, pour notre plus grand plaisir.

Alors heureux lecteur qui t'apprêtes à plonger dans cet univers, aussi bien te le dire, envoûté, tu ne pourras le quitter sans aller jusqu'au bout...

Bonne lecture !

Johanne Bédard

PAREILLE HISTOIRE EST À RACONTER

Pourquoi m'attire-t-il, ce petit homme au crâne dégarni ? C'est la question que je me pose cet automne-là.

J'aime ses yeux fouineurs, sa gaîté et sa conversation savoureuse, alors que nous faisons du conditionnement physique au Centre Claude Robillard, deux fois par semaine. Je remarque même ses cuisses musclées.

Sur la piste, il trotte comme un pur-sang, la croupe bien arrondie. Lâchant la bride à mes attirances, moi, amazone amochée, le rejoins au galop.

Un simple bonjour et, volubile, il raconte. Debout à trois heures et demie, il a dévoré les pages financières, son déjeuner et des réflexions de Doris Lussier ou des poèmes de Vigneault. Il veut surprendre. Aujourd'hui, il transforme un

proverbe : a beau courir qui part de loin.
Ses jeux de mots me divertissent.

Mine de rien, nous nous rejoignons de plus en plus tôt. En cadence nous marchons et jasons. Comme en sursis.

Quelquefois son pas se fait plus mesuré. Il m'attend, je le sens. Alors, il mentionne qu'il a rendu visite à sa femme, en institution depuis quelques années. Atteinte d'Alzheimer, elle ne le reconnaît plus ! Des lendemains pénibles pour Clément. Un groupe de soutien lui vient en aide. En substance, aux réunions, on lui conseille de faire son deuil dès maintenant et d'écrire ce qu'il ressent. Il tente péniblement de le faire. J'aimerais alléger sa souffrance. Je me contente de l'écouter et l'encourage à parler. Je l'entends à peine quand il marmonne : « J'ai essayé d'en parler à Cora, la sœur de ma femme. Elle dit que je m'écoute trop, que ce sont des enfantillages. Ma sœur, elle, me dit de prier. Alors, je n'en parle à personne. » Le silence est tourment.

Une nappe
de tristesse

Noël approche. Absent la semaine dernière, Clément s'avance, la démarche lourde.

Il m'annonce d'une voix rauque :

— Ma femme est morte. Elle était déjà très... diminuée comme tu sais. Je m'y attendais, mais...

Une nappe de tristesse couvre son regard. Sa voix tremble :

— Être préparé au deuil et le vivre, c'est bien différent.

Ses confidences me laissent sans voix. Il y a des moments où les mots avortent.

Je sens la mort... toujours vivante. Le soleil tourne.

Veille de la période de relâche au complexe sportif. Trois longues semaines sans nous voir ! Mon anxiété augmente. Lui apportera-t-on assez de réconfort ?

Aucunes réjouissances parmi les miens n'arrive à me faire oublier Clément. Cet hiver-là, pour mon anniversaire, mes enfants m'offrent une écritoire en cuir. J'y inscris chaque jour mes impressions, entre mes longues randonnées de ski de fond.

Doutes

Enfin janvier ! Les activités reprennent. Il est là. Me rattrape au pas de gymnastique. La vie reprend son cours.

Son deuil récent fait hésiter Clément, mais devant l'insistance de son fils, il s'envole pour les pentes neigeuses de l'Utah. Comme chaque année, il rêve de vertigineuses descentes en ski alpin.

Durant ces quinze jours, au conditionnement physique, je manque de fougue. Je piaffe, je m'ennuie. Seule au concert, sur la *Cavalcade* de Rossini mon esprit s'emballe. Je cavale, moi aussi, à bride abattue derrière mon beau cavalier.

Clément revient fringant comme un poulain du printemps. Bien en croupe, je lui emboîte le pas, décidée à le séduire.

En mai, il déniche une jeune femme de ménage. Subrepticement, elle se glisse chez lui. Un mardi en ville, l'autre à la campagne. Elle brosse, décrasse, lessive, cuisine des douceurs. Parle même d'épousailles avec son trésor de soixante-douze ans. Une sangsue ! Serviable à l'excès, et elle n'a que trente-trois ans, elle !

Juillet est suffocant. Je prends prétexte d'un orage rafraîchissant pour demander à Clément de me ramener chez moi.

Par la suite, il passe me prendre régulièrement. Un jour, il mentionne qu'il m'invitera bientôt à son chalet. J'ai hâte !

J'ai l'impression que la femme de ménage de Clément manigance des choses pas catholiques. Je n'aime pas cela. Il raconte qu'il lui remet des montants d'argent importants, pour des besoins urgents, paraît-il. Il l'appelle Suzette à présent. Ensemble, ils ont siroté une bière. Clément s'appesantit sur le fait qu'elle insiste sur son insatiable soif de mariage avec lui. Je lui suggère d'être prudent. Ça sent le guet-apens ! Je ne peux en dire plus. Qui suis-je pour lui ? Peut-être fait-elle plus que des ménages ? Un massage avec ça ?

ENFIN

Enfin... Clément, timidement, m'invite à sa maison de campagne. Sa sœur et l'amie de celle-ci y viendront aussi... comme chaperons. L'arrangement m'amuse.

Il passe donc me prendre au volant de sa grosse américaine. Transportant mon sac, il se dit très heureux de m'emmener chez lui en week-end. Je suis ravie.

Sur le siège avant, Gertrude, sa sœur aînée, est confortablement installée. À l'arrière, son amie. Et, entre nous, sur le siège moelleux et frais, dans sa cage, Gouli, le chat de Clément !

La ceinture à peine bouclée, je suis renversée par la première question de Gertrude, prononcée d'une voix aiguë.

– Nous sommes de la même paroisse ; comment se fait-il que je ne vous aie jamais vue à la messe ?

J'hésite. J'ai un chat dans la gorge. Ça lui semble important. Le cou tendu, elle attend. Je lui avoue :

— Je ne pratique plus depuis longtemps.

Les deux vieilles filles me dévisagent. Le poil me dresse sur les cuisses. Une grêle de questions suit. Gertrude miaule ses interrogations. On dirait qu'elle flatte, mais elle égratigne. Je me sens prise dans une souricière. Je réponds laconiquement :

— Oui, je suis à la retraite.

J'ai été vendeuse dans la chaussure pendant vingt ans.

J'habite chez ma sœur depuis six ans.

Oui, je m'entends très bien avec elle.

Non, je ne fais pas la cuisine ; je suis pensionnaire et ça fait mon affaire.

Ses questions griffent ma peau. Je me pelotonne près de la portière. Clément ne dit mot.

— J'ai été mariée durant vingt-huit ans.

J'ai cinq enfants.

Divorcée depuis dix-huit ans.

Elle fait les yeux ronds.

– Non ! c'est moi qui suis partie.

Je m'étonne de ce questionnaire, et surtout des raisons pour lesquelles mes réponses la font bondir à ce point. On n'est plus au temps des *Plouffe* ; *Un gars, une fille* les ont remplacés !

Habituellement, je fais le dos rond et les propos coulent sur mon échine. Là, à chaque phrase, je me sens attaquée. Est-ce le ton ou l'attitude ? Quelle sera l'influence de leur jugement sur Clément ? Je ne sais pas.

À la dérobée, je note que ces dames sont vêtues de robes. Je suis en shorts, Clément aussi, heureusement. À leurs yeux, suis-je indécente ? On s'en va au chalet, non ?

Gouli ne ronronne plus. J'ai l'estomac brouillé. Quelle fin de semaine en perspective ! J'aurais dû me rendre à bord de ma petite Horizon. Mon horizon serait moins limité. En arrivant, le chat vomit. J'en ferais autant.

L'IMPORTANT, C'EST CLÉMENT !

Fini, mon chemin de croix ! J'inspire goulûment. Près de la source du lac, un calme de prélat m'envahit. Moi, ange peut-être déchu aux yeux de ces dames, je ressuscite.

Sans fanfaronnade mais avec une grande fierté, Clément me révèle les ressources de son terrain :

— Je loue ces deux chalets à l'année. Ils sont pourvus de système de chauffage. Le gazon est long, j'vas passer la tondeuse demain.

— C'est toi qui entretiens tous ces terrains ?

D'un air satisfait, et en ouvrant les bras :

— Ah ! c'est vite fait, mille pieds sur deux cent cinquante ! As-tu vu mes géraniums ? J'en ai vingt-deux boîtes au bord de l'eau. Tu vois l'île au milieu du lac ? Je cherche un moyen d'y installer un arbre de Noël. Ce serait féerique !

En marchant, il me montre le pédalo. Baissant la voix, d'un air câlin :

– Nous irons en pédalo tantôt, si tu veux. Tu vas voir le beau feu de camp que je vais allumer ce soir, ici, à l'extérieur. Je fais des feux même en hiver. J'épate mes petits-fils !

S'il avait des bretelles, il se les péterait.

Je m'imaginais un château, d'après ce qu'il m'avait raconté sur sa maison de campagne. De l'extérieur, c'est assez joli. Une petite maison blanche au toit orange, agréable à regarder.

En entrant, je perçois un relent d'encens. Dans l'obscurité, je me heurte au banc du bar, inutile, en contreplaqué. Le salon, même en plein jour, est sombre comme un monastère. Sur chaque mur glauque, des reliques en macramé confessent leur âge canonique. Au-dessus du foyer, un christ prétendument sculpté. Quelques rameaux flétris pendouillent dans un coin. Des fauteuils de style canadien, qui ont de la vertu, bafouillent la prière des agonisants.

Derrière le bar, Clément se sert d'une lampe de poche pour placer un disque sur la table tournante, pour l'ambiance !

Grâce à sa détermination, une mezzanine a été ajoutée. L'unique fenêtre, très haut perchée, cherche la lumière. Satisfait de son œuvre, son regard implore ma bénédiction. Un si bon diable… Une importante rénovation s'impose. Cela nécessiterait un certain recueillement. De toute évidence, nos goûts diffèrent.

J'apprécie les planchers en marqueterie ; Clément a tout fait lui-même. Ils sont aux trois-quarts voilés de carpettes bariolées, un vrai péché ! La tentation est forte de le mentionner, ce que je n'ose faire. Alors, je dis n'importe quoi.

—Ah oui ! j'adore les feux de foyer.

Il me montre le recoin éclairé, sous l'escalier, très moderne, dit-il. Hum !

hum ! Une lumière dans le placard, c'est paradisiaque, en effet.

Je suis sauvée quand mon ange m'indique ma chambre. Ce n'est pas la sienne, évidemment ! Les autres invitées et lui dormiront à l'étage, dans des pièces minuscules.

L'endroit me plaît assez. De grandes fenêtres, un couvre-lit couleur de soleil, un prie-Dieu, un crucifix, la prière de la Sérénité encadrée, un papillon en... macramé. Son épouse priait et « macramait ».

Décontenancée, je demeure un moment silencieuse. Pourquoi ce prie-Dieu ? Et ce crucifix à la tête du lit ? Et ces rameaux expirés ? Est-ce que je pourrai m'habituer à autant de bondieuseries ?

Je ne vais pas sacrifier de longs moments à méditer sur ma déception. Le décor, ça se change.

L'important, c'est Clément !

Entre parenthèses ?

Clément m'invite à la baignade. Je m'imagine libellule : d'un froissement d'ailes, je traverse la cuisine. Sur l'épaule de Clément me pose délicatement, prête à plonger ; serrant pudiquement mes ailes sur mon maillot, je sors de mon cocon, antennes à l'affût. Sur la pointe des pieds, j'accède à la cuisine. Gertrude et son amie s'entendent pour préparer le repas. On ne les a pas emmenées pour rien !

À l'extérieur, une chaise pliante sous le bras, Clément s'arrête net en m'apercevant. Ses yeux scintillent. En jetant un coup d'œil vers les chaperons, il me susurre à l'oreille : « Oh ! tu as un beau corps ! » Ma coiffe chancelle, mon jabot s'affole, la nymphe s'exalte. Toutefois, j'ai un doute : il trouve son salon très beau aussi. Une pensée de Marcel Auclair me vient à l'esprit : « Dieu a bien fait les choses qui provoquent la baisse de la vue de l'homme à mesure que le visage de sa femme se ride. » Vivement je m'avance vers le lac afin d'apaiser mon émoi et de cacher ma culotte de cheval.

Le lac est profond. L'onde froide me saisit. Nous nageons un peu. Sur le dos, je me laisse envahir par le rythme de ma respiration. J'ai laissé les vêtements sombres qui couvraient mes pensées pour revêtir le plaisir, l'insouciance des vacances. Quand je sors de l'eau, Clément arrose ses fleurs. La baignade n'est pas son loisir préféré, je suppose.

Nous rentrons à regret. La table est mise. Je m'habille, appréhendant un peu les interrogations. Mais le vin aidant, l'atmosphère est joyeuse et le repas succulent. Clément se révèle un vrai boute-en-train.

Avant sa sieste, il m'offre de lire ses réflexions, griffonnées durant la maladie de son épouse. Je suis touchée par son geste et j'accepte chaleureusement. Plus ma lecture avance, plus je découvre le vrai Clément. Plus attachant encore. Enrobées de pitreries, tant d'émotions refoulées : sa culpabilité, ses forces, ses faiblesses. Un journal intime, presque ! Sa confiance en moi m'émeut. J'aimerais réparer les crevasses et les vides de son âme déchirée, mettre un peu de « benjoin » sur ses écorchures, lui prodiguer des caresses pour le cœur. Or, les chaperons veillent.

À son réveil, nous marchons à travers bois ; nous traversons le pont enjambant la rivière « Chute rouge », frappée par les éclats du soleil. Le courant semble vraiment de cette couleur. Des effluves fruités parfument l'air. Deux hirondelles s'entretiennent et nous faisons de même. Main dans la main, je lui avoue que la lecture de son journal m'a profondément attendrie, que sa confiance me bouleverse.

D'une voix éteinte, il dit :

– J'ai toujours vécu « sur les brakes » Pourtant, tout de suite, j'ai eu confiance en toi. Tu es la seule personne à qui je me confie.

 24

Je l'encourage à se donner des permissions. Je le sens si près, mais il ne tente rien. Mes quinze ans me reviennent en mémoire, des années où les hommes étaient réservés ! Je trouve cela charmant.

Devant un feu de camp, la soirée s'écoule. Clément nous traite aux petits oignons, nourrit le feu, nous couvre d'un nuage de couvertures, nous abreuve de Triple Sec. J'ai les pieds froids et le cœur chaud.

Gertrude narre ses pèlerinages, ses neuvaines, entrecoupés de quelques oraisons jaculatoires. Elle appuie particulièrement sur la générosité et la grandeur d'âme avec laquelle elle apporte de l'aide aux démunis par la Société Saint-Vincent-de-Paul, dont elle et son frère sont membres. À mon tour de faire les yeux ronds. Ils s'écarquillent littéralement quand elle ajoute : « Nous prions toujours pour les divorcés, comme le pape le demande. » Ces propos me renversent. On peut dire qu'elle n'égratigne plus, enfin, presque plus. Elle mord. Je suis immunisée. Nous rentrons.

Ces dames montent à leur chambre. Clément et moi parlons de notre journée. Puis, un irrésistible élan nous amène sous la mezzanine à l'abri des voyeurs. Pendant que le duo chante des psaumes, nous en profitons pour échanger notre premier baiser. Tout mon corps frémit. Je veux donner suite à ces minutes électrisantes.

Un vrai crime

« *Je lui dis ce désir de lui.* »

MARGUERITE DURAS

Le lendemain matin, les dévotes vont à la messe. Elles ne sont pas rendues bien loin que déjà nous sommes très, très près.

Tout près aussi, la chambre jaune. Adossés au chambranle de la porte, lèvres et corps agglutinés…

De nos sens déferle une vague de passion…

Je sursaute quand, d'une pirouette, Clément me quitte. Toujours vibrante, je me retrouve au milieu d'une mer de volupté, sans boussole. D'un pas pressé, il se rend vers les fenêtres et ferme tous les stores. Déstabilisée, je m'assois sur le couvre-lit jaune, je le suis des yeux. Il sort de la chambre et verrouille toutes les portes de la maison. Lui, si bavard d'habitude, ne dit mot. Je baigne dans le mystère. Intriguée, je m'interroge. Est-ce qu'on va commettre un crime ? C'est peut-être un sadique. On en a vu d'autres à qui c'est arrivé ! Cela m'inquiète.

Je suis tout de même seule avec lui, dans ce chalet isolé. Mes élans de passion se sont brisés comme les vagues échouées sur la grève.

Tranquille, il revient. Son regard candide me rassure. Un peu.

Il m'explique : « Je n'ai jamais fait ça à la clarté. » J'ai déjà entendu ça.

Avec lui, je peux m'attendre à des surprises.

Clément se montre tendre, atten-tionné...

Ma libido s'émoustille. Une charge de flux et de reflux se livrent bataille. Je lui dis ce désir de lui.

Enfin, je peux sillonner les dunes de ses cuisses musclées ! Je me sens désirée autant que je désire. Il cultive aussi mon plaisir. Ses mains, sa bouche m'explorent. Ses membres emmêlés aux miens se nouent. Il m'étreint jusqu'à l'émerveillement. Ah ! faire l'amour : un cri du corps !

Alanguie dans la chaleur de sa chair, je lui confesse : « Je ne voulais plus aimer, de peur de souffrir. J'aimerais repasser ma vie comme on repasse une jupe, en effacer tous les plis. Est-ce possible, à soixante-six ans ? » À son tour, Clément me confie : « Avec toi, Hélène, je me sens libre et heureux. Ce doit être ça qu'on appelle l'amour. Dire que je voulais laisser tomber le sexe ! Un vrai crime ! »

LA MESSE
EST TERMINÉE

*I*te *missa est.* Déguisons-nous. Ouvrons les stores. Apposons des masques de convenance à nos mines rayonnantes.

Pleines de grâces, ces dames reviennent. Sermon si intéressant, source de bonheur pour elles. Chacun son goût ! Clin d'œil complice de Clément.

L'après-midi passe très vite. Nous pédalons en harmonie sur le pédalo. Dans un coin secret du bois, à un moment choisi, nous nous enlaçons. Les arbres applaudissent.

Une voisine nous ramène en ville. Clément a des travaux à faire sur le terrain. Au départ, une simple poignée de mains.

Dans l'auto, je savoure les bons moments de la journée et j'écoute distraitement. Mes compagnes remercient Dieu de sa bonté, pour le beau temps, la bonne nourriture, un retour sans… Je n'entends pas la suite. Gertrude me sort de ma torpeur : « Hélène, nous allons dire le rosaire. Veux-tu répondre ? » Étonnée, je réplique faiblement : « Je préfère me reposer. »

Elles enchaînent à haute voix, avec la récitation du chapelet, qu'elles égrènent avec ferveur jusqu'en ville.

Lettre ardente

Dans les jours suivant ma première visite au chalet, je reçois cette missive de Clément.

Sainte-Lucie, 27 juillet

Chère Hélène,

Je t'aime tant. Il me reste un bout de vie à vivre. Je veux flamber le plus intensément possible. Veux-tu pétiller avec moi ? Ne perdons pas une minute.

Clément

À la lecture de cette lettre, je m'empresse de répondre.

Cher Clément,

Tes mots de feu me dévorent... À vingt ans... sur un jet de flammes, je serais arrivée. Prête à tout. Aujourd'hui, j'hésite... Je t'aime beaucoup, mais est-ce suffisant ?

Ma main tremble en écrivant ces mots... Ah ! et puis diable, j'entre en fusion pour le week-end. Sans chaperon.

Après on verra !

Hélène

Comme si la vie n'allait plus jamais être la même

Comme si la vie n'allait plus jamais être la même, en me rendant au Centre ce matin-là, je me nourris de moments délicieux. J'anticipe un week-end amoureux. Mon galant frétille comme un poisson dans la poêle.

Après les exercices, nous passons chez lui prendre son bagage, Gouli et sa cage. Je mords dans la pomme qu'il me tend, comme dans l'existence.

Sur le siège arrière, gros minet patientera, seul, durant le trajet jusqu'au chalet. Sans contredit, cette fois, je trône à l'avant. Clément, vêtu de son short et arborant sa casquette de cycliste, a une allure d'adolescent affamé de plaisir. Il me transmet sa fringale d'emballement, de liberté. Il parle et parle… Sa voiture est large. Je me rapproche, soi-disant pour mieux entendre. Au premier arrêt, ma main mange sa cuisse. Il frissonne. Cesse de parler. De respirer presque. Il me sourit et appuie ses doigts sur les miens un moment en redressant le torse. Il irradie. C'est la fête ! Pour masquer son trouble, il marmonne des mots sans signification : « C'est ça qu'on disait, tit-Fril pis moi. » Sa langue caresse sa lèvre supérieure comme s'il dégustait un bon dessert. Il attise mon appétit.

En route, un arrêt à l'épicerie. Il s'informe de mes préférences, tient à me choyer ; il achète des pamplemousses blancs alors qu'il préfère les roses, des cuisses de poulet au lieu des ailes, etc. Il ne demande rien, donne tout. Dès qu'il se rassoit dans la voiture, son bras rejoint le mien et l'attire sur sa cuisse. Il aime ça !

Je fais provision de bonheur.

Un plan diabolique

*Tant qu'on conjugue les corps
à l'impératif présent, tout est
plus-que-parfait !*

Bruno Coppens

Je me sens morose au souvenir de ma dernière visite. En entrant dans son salon, un sombre frisson me traverse. Un baiser de Clément et tout s'éclaire.

Même sans chaperon, nous aurons chacun notre chambre. Je ronfle, dit Clément. Il trouve difficile de faire chambre commune. Cela me convient. Je dormirai plus tard probablement. Je ne le connais pas bien encore.

Le solarium, plus moderne, m'attire comme un petit paradis. Nous y prenons l'apéro. Des fenêtres, de la largeur de la pièce, nous offrent une vue sur le lac. À travers les bulles de verre du plafond, des pans de ciel m'enjôlent. Dans des fauteuils contigus, nous sirotons notre plaisir d'être ensemble. La pluie reposante tapote les fenêtres. Clément, assis au bord de son siège, câline mon bras, ma cuisse. Ma peau s'imprègne de ses mamours. Gouli miaule à ses pieds. Il veut des chatteries lui aussi.

À la cuisine, Clément m'initie à ses recettes de riz frit et à son fameux rôti. Sans souci, je me fie à lui. Je ne veux pas être choisie pour mes talents de cuisinière, ce que je ne possède d'ailleurs pas. Tout est réussi !

Au moment de nous mettre à table, monsieur Gouli a pris ma place. Clément déplace délicatement la chaise, sans réveiller son chat. Le félin a droit à tous les égards. Moi aussi, car mon ami m'apporte un autre siège. Nous dînons gaiement puis nous rangeons tout.

Clément monte à sa chambre pour sa sieste. Je choisis le divan dans notre coin de paradis. Je lis.

Au saut du lit, il me rejoint, enhardi. Son corps chaud de sommeil a une odeur de désir. Il m'embrasse longuement. Un coup d'œil aux fenêtres : *oups*, pas de store ici ! Son regard interroge. « Pourquoi pas le tapis, chéri ? » dis-je.

Il hésite... s'emballe... trouve mon plan diabolique. Ses réactions m'allument. Il prend quand même le temps de passer au salon et met une musique de chambre ; ça convient aussi pour un solarium, il paraît ! Il apporte une grande serviette et se dit prêt à subir l'inévitable outrage. Il me fait rire. Pour toutes ces choses, je l'aime. Mes effleurements coulent sur sa peau comme un « gospel ». Je lèche, pourlèche, sa saveur m'enivre. Ma chair se satine. Chaque tétée exalte mon désir. Ses paroles susurrées à mon oreille m'ensorcellent.

Bribes d'enfance

Clément parle beaucoup, mais son passé reste dans l'ombre. Aujourd'hui, il m'expose un pan de son enfance.

Assis tantôt sur une fesse, tantôt sur l'autre, visiblement mal à l'aise, il commence :

« Ma mère était institutrice avant son mariage. Pour suivre son mari sur sa terre, elle a abandonné sa profession. Très tôt, mon père est devenu invalide. »

Clément ne dira jamais rien de plus sur la maladie de son père, comme si c'était un secret de famille.

« Sur la ferme, maman s'ennuyait. Pour échapper à ses jérémiades, nous nous éloignions de la maison, mon frère et moi. Un croûton de pain et des allumettes nous suffisaient, raconte-t-il d'un ton monocorde. »

Il s'anime un peu quand il rappelle ses étés : « Nous courions pieds nus toute la journée. Au bout de la terre, nous trouvions des roues de voitures, des traîneaux, on aurait dit un dépotoir. Avec des morceaux de bois et des clous rouillés qu'on redressait en les frappant avec une pierre, mon frère m'apprenait à construire des p'tits bateaux, des voiturettes. Ça faisait notre bonheur. On a dû se couper ou s'enfoncer des clous dans les pieds, j'm'en souviens pas. On s'empiffrait de petits fruits aussi. Mon jeu préféré était d'allumer des feux. »

Une lueur dans les yeux, il continue : « J'aimais voir la flamme lécher le bois et se tordre. Entendre le crépitement… »

Puis, dans un soupir : « Nous étions pauvres mais libres. Tout s'est écroulé quand mon père est mort. J'avais dix ans. »

Il contemple les nuages par la fenêtre.

Maintenant assis sur le bord de sa chaise, il reprend son récit :

« Alors ma mère a vendu la terre et nous sommes déménagés à Québec. Mes sœurs ont été placées au couvent, moi au collège. Le frère de ma mère a payé mes études et me l'a rappelé bien souvent : " Après tout ce que j'ai fait pour toi, il faut que tu apprennes à faire de l'argent ! Tu feras pas comme ton père, j'espère, laisser sa femme et ses enfants dans la misère ", répétait-il, à chacune de nos rencontres. »

Les jambes croisées, le torse penché sur ses genoux, le souffle retenu, Clément poursuit :

« Chez les Frères, je manquais d'air. Je faisais des cauchemars. Souvent, je rêvais que je mettais le feu à la bâtisse, puis je m'élançais à travers champs. Des loups revêtus de soutane me poursuivaient en hurlant, montrant les crocs. Je m'éveillais en sueurs. C'était horrible… On m'avait abandonné… Maman était retournée à l'enseignement. Mon frère livrait les commandes de l'épicerie. Je ne les voyais qu'à Noël. Seul mon oncle, loin d'être réconfortant, passait me voir. »

La voix cassée, il complète : « Quand j'ai fini mon cours, j'étais bien content. »

Puis, comme s'il baissait le store, le regard par en dedans, Clément se lève et sort.

Seul à seule

Du varech sur les paupières, ce premier matin chez lui, j'entends frapper à ma porte. J'ouvre un œil. Cinq heures, c'est encore la nuit. J'entends la pluie. Qu'est-ce que c'est ?

Une chandelle à la main, mon amoureux entre, bien réveillé, lui. Sur la table de chevet, il dépose le bougeoir. Sur le lit, il s'assoit, m'embrasse et chuchote : « Je n'en pouvais plus d'attendre ! » Mes bras autour de son cou, je murmure que c'est bien gentil mais… cinq heures, c'est fort tôt. Il s'amuse de la chose. Autant en rire ! Clément m'installe avec soin un siège de lit, m'offrant même de le réchauffer. Il m'apporte mon déjeuner.

– Wow ! Un déjeuner au lit et ce n'est pas ma fête !

Nous partageons les fruits déposés en collerette, échangeons de menus baisers, des grappes de tendresse, une ondée de mots amusants. L'orange a le goût juteux du festin des muses. La banane a un attrait de fruit défendu, la saveur d'une chair veloutée. Sous son regard amoureux, tout est différent. Clément, plein d'attentions et de délicatesses, me donne l'impression d'être une orchidée rare. Il m'offre de poursuivre et de me servir au lit œufs et rôties. Bien réveillée, j'ai envie de bouger, je préfère me rendre à la cuisine.

Vers sept heures, nous observons cinq minutes de silence : la télé diffuse « les finances ». Clément écoute religieusement et prend des notes. Une firme comptable s'occupe de ses placements maintenant. Il m'explique un peu le système. Je ne comprends rien. On dirait que mon esprit devient hermétique devant les chiffres. Tout de même, ses yeux s'éclairent d'une telle frénésie quand il en parle que je le laisse dire.

Il s'excuse de discourir. Le regard ailleurs, je l'écoute distraitement. Il continue d'épiloguer, ce qui m'agace un peu. Toutefois, j'admire sa ténacité, son audace à la Bourse.

Il pleut toujours. Seul à seule, je suis étonnée de voir le temps s'écouler si vite.

La bonne décision ?

Clément ne se dément pas. Il multiplie les mots satinés. Je t'aime, je « t'amouraime ». Tu es ma « flammamour ».

Il ne piétine pas longtemps dans les plaines du temps. À peine un mois de fréquentations et un jour, en cueillant des bleuets, il me dit :

– Pourquoi on ne se marie pas à Noël ?

– À Noël ? Dans quatre mois ? Ça ne presse pas, dis-je.

Il est rapide en tout. J'aurais dû m'y attendre. Constamment en mouvement, il me dynamise, mais m'essouffle aussi. J'ai besoin des deux jours où je suis seule en ville, comme nous le faisons présentement. Ce répit me permet de me retrouver, de lire, de me faire couper les cheveux, de ne rien faire même. Mariée, est-ce que je ne perdrai pas haleine ? Est-ce que j'accueillerai aussi amicalement sa voix nerveuse et délirante quand il discourt sur l'argent ? Il parle alors de ce que la Bourse lui rapporte, ou bien il s'inquiète de savoir s'il en aura « assez pour ses vieux jours ». Séquelles de son enfance, j'imagine. Pour ma part, je ne suis pas inquiète ; pourtant je n'ai que ma pension de vieillesse. Peut-être ai-je tort ? Intérieurement je sais, je mets mes incertitudes sous un fort projecteur. Je me connais, j'ai peur de l'engagement.

Depuis vingt ans, j'ai toujours refusé d'emménager avec mes soupirants. Si je monte à bord de la galère du mariage, je sais que ce sera pour y rester. Je ne veux surtout pas me tromper. Un deuxième divorce : non merci !

J'enfile mes gants de douceur :

– Mon amour, je t'aime, tu le sais. Sincèrement, je désire être avec toi le plus souvent possible. Je m'amuse beaucoup en ta compagnie. Ton entrain et ta bonne humeur me délectent. Nous vivons des moments intenses ensemble. Il y a à peine un mois, tu m'as proposé le

47

mariage. Ce sera peut-être difficile pour toi de partager mon opinion sur le sujet. J'ai peur qu'une fois mariés, notre avenir devienne moins stimulant. Je ne vois aucune nécessité à cette union aussi tôt. J'ai besoin de m'adapter à la vie à deux, comme nous le faisons actuellement. D'apprendre à nous connaître davantage. Tu n'es pas bien comme ça, toi ?

Clément ne répond pas ; il marche lentement, tête basse, sans ramasser le moindre bleuet, contrairement à son habitude. L'incertitude m'assaille. Et si mon avenir était en jeu ?

J'émerge de ma réflexion quand j'entends : « Je veux bien attendre, mais je dois t'avouer, c'est fou, j'ai peur d'être puni de jouir d'un pareil bonheur sans bénédiction. »

Je n'en crois pas mes oreilles. Il dit donc la vérité quand il déclare avoir « vécu sur les brakes ».

Projets

Après le déjeuner, ce matin-là, Clément dit :

– Un mois de fréquentations, faut fêter ça ! Aimerais-tu faire un « p'tit » voyage ?

Il a son air taquin quand il me dit cela, alors que nous nous tassons tous les deux sur ce mini-divan. Il ajoute :

– Quatre jours dans Charlevoix ?

– C'est ma région préférée, dis-je en l'embrassant sur la joue.

Il continue :

– On peut loger à Pointe-au-Pic ?

– Ça me convient.

– Le Manoir Richelieu ?

– Wow ! C'est sûrement très beau.

– J'ai hâte d'y être avec toi.

Je suis aux oiseaux.

– Nous irons aux baleines à Tadoussac, poursuit-il, nous visiterons les petits villages autour. Les Éboulements, Saint-Irénée, Port-au-Persil.

— Ces noms sont une musique à mon oreille.

Clément ajoute :

— Je veux te gâter. Un polar, un maillot de bain, une broche, nous verrons là-bas. Peut-être l'Europe, l'an prochain ?

J'ai le vertige devant ce bonheur inattendu. Du bout des lèvres, il ébranle mon rêve quand il prolonge :

— Suzette va venir nettoyer mardi !

Je sens qu'il y a autre chose.

— Ah bon !

— Nous irons au bureau des permis. Je vais lui donner la voiture de ma femme ! Pauvre petite, elle n'a pas d'argent, je vais lui payer l'immatri-culation et l'assurance.

— Ah bon !

Devant mon mutisme, il surenchérit :

— Il n'y a rien entre nous ! Elle a trente-trois ans et j'en ai soixante-douze !

Pourtant... Un grelot grince à mon oreille. Il préfère sans doute échanger une femme de 66 ans contre deux de 33. La perception confirme la règle. Une femme avertie joue le jeu.

J'aime mieux être au courant. Toutefois, je rage intérieurement. Je ne peux réclamer l'exclusivité puisque je refuse de m'engager. J'agrippe les bras du fauteuil et je grimace.

Journée blanche

Il y a parfois des journées laiteuses. Ces jours-là, nous existons, passifs.

Au chalet, ce samedi-là, tout est en demi-teintes. Seul Clément trône sur son tracteur rouge. Comme un Viking sur son bateau, il troue l'espace. L'herbe coupée s'envole, libre comme mes rêves.

En maillot au bord du lac, insouciante, je refais une beauté aux géraniums. Les pétales fanés tombent sous la lame comme des gouttes de sang sur la pelouse ou sur le lac. Les fleurs saines reprennent leurs joues pourpres. Un vent doux enveloppe de moiteur ce jour pâle.

Le bourdonnement perturbant de l'engin cesse. Aussitôt, Clément bondit comme s'il sortait d'une boîte à surprises. À quelques mètres de moi, il saute à l'eau. Il sait nager ? Il veut jouer, je suppose ! Il ne remonte pas. Toujours pas. Je plonge. Sous l'eau, je l'aperçois, ballotté comme un pantin, inconscient. À bout de souffle, je le remonte à la surface. Je crie au secours ; je m'étouffe et le perds. Il coule. La boîte à surprises devient une boîte de Pandore.

Nous allons nous noyer tous les deux ! NON, pas au moment de notre renaissance ! Ce serait trop bête. Je replonge et réussis à le pousser jusqu'au bord. Il tousse, égaré mais vivant. D'une voix blanche, il dit : « Je ne sais pas ce qui m'est arrivé. »

Cette journée a failli être noire, très noire. Une poche amère crève au fond de moi.

Demande de conseils ?

Quelques jours plus tard, décontenancée par les appels téléphoniques répétés de la sangsue, je cisaille mes phrases comme si je taillais une vitre. Délicatement, sans rien casser. Je tente de convaincre Clément d'être ferme auprès de cette donlle. Il répète constamment ne pas vouloir répondre à ses avances. Mais il ne veut pas lui faire de peine ! Elle l'AIME !

Cher Clément. Je le soupçonne d'apprécier infiniment les hommages de cette Suzette. C'est un homme après tout ! Le cœur a ses démons que la raison ignore.

Quand il est en ville, elle passe chez lui. Par hasard ! Oublie son agenda ou son chandail afin de revenir. Suzette demande conseil pour ses affaires, parle d'association, encense ses œuvres, essore les sentiments de Clément. Elle possède les clés de la maison pour le ménage

qu'elle doit faire durant son absence,
« supposément ». Ses manigances
m'agacent. D'un jour à l'autre, j'espère
qu'il réglera la situation. S'il veut vendre
son âme au diable, je m'éloignerai.

TEST

Le fils de Clément veut faire ma connaissance, il nous invite chez lui. Mon homme semble anxieux. Pourquoi ? Craint-il que je ne passe pas le test ? Il s'agite. Un peu perplexe, je l'accompagne. Est-ce aux enfants de mesurer notre attachement ou notre compatibilité ?

Clément raconte qu'ils ont deux chiens. Je m'amuse à faire un parallèle. Est-ce que je serai accueillie par des molosses aux crocs mordants, ou de bons saint-bernard aux yeux protecteurs ? Moi, chatte au pelage fripé, je rêve de jeux et d'amour auprès de mon matou. Est-ce possible ?

Leur accueil enthousiaste me réconforte. À l'heure de l'apéritif sur le patio, le doux épagneul appuie son museau sur ma cuisse. Ce beau noir fait ma conquête. Ses maîtres aussi. L'attitude de Clément, émerveillé, buvant les paroles de son fils, est touchante. Luc entraîne son père au sous-sol quelques minutes…

J'ai peine à me concentrer. La belle-fille me montre ses fleurs, je suis ailleurs. Elle vante ses bégonias, mais je ne suis vraiment pas là.

Clément remonte, triomphant. Je ronronne. J'ai passé le test.

LA VIE DE MANOIR

Depuis notre premier week-end, nous improvisons des gammes, en crescendo, sur le clavier des jours. Clément ne frappe plus à ma porte à cinq heures du matin. J'ai gagné une heure. À six heures, d'un baiser au diapason de mon humeur, il m'éveille aux effluves de la fantaisie. Servie au lit, tous les matins, je croque passionnément chaque note du déjeuner.

Émoustillés comme de jeunes enfants, en ce matin de septembre rempli d'ombre et de lumière, nous accordons nos tempéraments sur un air de vacances. Départ enjoué pour notre voyage dans Charlevoix. Une cascade de musique accompagne notre repas près des chutes Montmorency. Puis, jusqu'à Pointe-au-Pic, je prends le volant de sa grosse cylindrée. Je me sens remonter d'un cran. Lui, un homme, me fait à ce point confiance !...

L'initiation à la vie de manoir me séduit. De cette vaste chambre, nous admirons la vue sur le fleuve éblouissant. Clément rayonne de joie devant mon enthousiasme. Nous rions, dansons, puis, joyeux, nous dînons. Plus tard, nous marchons au bord de l'eau, soulevés par l'assaut des vagues sur les rochers.

De retour à notre chambre, en duo sous la douche, nous jouons « l'air des caresses de Clément et d'Hélène. »

Fusionnés au soleil levant, dans le cadre de la fenêtre du troisième, nous embrasons l'univers.

Petit déjeuner copieux au Manoir. Puis nous nous dirigeons vers Tadoussac, emballés, des vêtements chauds dans le sac à dos. Pour la première fois, j'observerai ces gigantesques mammifères.

Au départ, les passagers se tiennent sur le pont du navire. Le vent froid les amène rapidement à l'intérieur. Je préfère respirer l'air salin, Clément à mes côtés. La chaleur qu'il dégage me mitonne. Comme les mouettes frôlant les flots, je flotte entre ciel et terre.

Tout à coup, le climat change. Le moteur tourne au ralenti. La voix du capitaine annonce : « Baleine à bâbord ! » Appareils photo en main, les gens remontent sur le pont en courant. Sous le poids de cette ruée, le bateau s'incline. Mon regard se perd sur l'immensité bleue. Un sifflement et la voilà ! Énorme ! Comme une danseuse de ballet, elle ondule, élégante. D'un gigantesque et retentissant claquement de queue, elle marque son départ vers les profondeurs. Comblés, nous en apercevons deux autres encore. Cette scène me bouleverse.

Durant notre retour en voiture, les paysages s'harmonisent en contours jamais dévoilés auparavant. Comme dans un monde imaginaire.

À Port-au-Persil, fugue emballante sur les volumineuses pierres d'un beige rosé. Nous prenons quelques photos. Nous oublions les boutiques, nous voulons au plus tôt poursuivre de concert cette « symfolie » inachevée.

Amour de lettre

Chez moi, en ville, comme cela arrive assez souvent, je reçois cette lettre de Clément qui m'attendrit profondément.

Sainte-Lucie, 17 août

Cher amour,

À l'aube de ce jour, solitaire, je m'étiolais. Ta chaleur, comme le soleil, a su me ranimer. Sur ton feuillage velouté, je me suis abreuvé de la rosée du matin. Ton parfum m'a éveillé à la vie. Sous la caresse du vent, avec toi j'ai frémi. Ces précieux instants, je veux les cultiver avec soin. J'aimerais croître à tes côtés. J'aime faire rire les ronces. Nous formerons le plus exquis des bouquets.

À toi pour toujours,

Clément

 Apparition

Comment fixer la démarcation
exacte du rêve et de la réalité.

Claude Jasmin

À vingt-deux heures, mon téléphone sonne. Surprise, je réponds. Plus étonnant encore, Clément le couche-tôt, haletant au bout du fil, me raconte : « Après le souper, je paressais sur le divan. Soudain, je me suis senti traqué… Deux yeux cruels me fixaient dans les motifs du rideau. C'étaient ses yeux ! C'étaient bien les siens, hargneux, quand elle me dévisageait…

« Sa bouche noire, profonde, me crachait des reproches, des injures. Je recevais ses mots comme des coups de poing au plexus. Puis, le rideau a bougé. Vêtue d'une chasuble de plomb, ma femme s'en est détachée. Elle s'est écrasée sur moi. J'étais terrifié, j'ai déféqué… Ses mains glacées ont empoigné ma tête… Déchaînée, de façon convulsive, elle la secouait et hurlait : Je te tiens ! Je te garrrde !!! Je te garrrde !!!

« À travers la porte moustiquaire, la voisine s'époumonait. Monsieur Lagarrrde ! Monsieur Lagarrrde ! Bouleversé, je suis allé répondre. Était-ce un rêve ou une apparition ? »

Je me pose aussi la question.

Le retour
de la sangsue

Hier, à notre retour du chalet, Clément me dépose chez moi et dit : « Nous avons passé cinq jours merveilleux. Je t'aime. »

Ce matin, au Centre, son sourire est figé. À mon approche, il détourne la tête. Mon baiser achoppe aux commissures de ses lèvres. Puis comme si la langue lui brûlait, il jette : « Suzette m'invite à souper… Elle a des homards frais de Gaspésie. »

Je tourne ma langue cinq fois avant de dire :

– Ah bon !

D'un ton qu'il veut ferme, Clément ajoute : « J'vas y dire que j'veux pas d'son association commerciale. »

J'ai envie de crier : « Ça fait longtemps qu'tu dis ça ! »

Cette ventouse adhère fermement. Elle insiste pour former une compagnie. Elle trouverait les clients, Clément fournirait l'argent. Elle est paysagiste. La Mercedes donnée il y a deux mois ne suffit plus. Elle a besoin d'un camion, essentiel pour son travail. Nous avons souvent échangé sur le sujet. Sans résultat. Je m'en rends compte, il se fait piéger.

Il me ramène chez moi.

À quinze heures, Clément me téléphone. Il n'ira pas souper chez Suzette. Il a prétexté une indigestion. Ça me rend malade. La prochaine fois, ce sera quoi ?

Ces discussions alourdissent notre relation. Or, je ne peux résoudre le casse-tête à sa place. J'ai peine à croire qu'un homme d'affaires comme lui se laisse embobiner de la sorte ! Semaine après semaine, il semble décidé à ne plus la revoir. Rien ne change. C'est l'envers de ses qualités, je suppose... Homme d'affaires aguerri, homme de cœur affaibli.

Mes rêves tombent comme les feuilles d'automne. Peut-être s'est-il entiché de cette friponne et ne veut pas me le dire ? Clément dit qu'elle est jeune et jolie. Elle était là avant moi. Toutefois, j'insiste pour qu'il en parle à son fils afin d'y voir plus clair.

Une voix

Je verrai ma rivale, cette colle, pour la première fois. Clément jure qu'il lui dira qu'il ne veut ni la marier, ni investir dans sa compagnie.

Suzette arrive. Nous nous assoyons à l'extérieur. Celle-ci retrousse son short déjà micro, séduit... Elle glousse aux facéties de Clément surexcité, découvrant une rangée de dents éblouissantes. Je me sens vieillie, disgraciée. Je voudrais être touchée par la grâce, ou que son jupon dépasse. Elle n'a pas de jupon. Une petite voix grinçante me dit :

« L'as-tu vue, la p'tite maudite ? La fesse haute sur ses jambes fines. Des seins superbement moulés dans sa camisole blanche. Des cheveux pleins de soleil. T'aurais pas envie de la balancer dans le lac ? Puis, comme un géant doté de cent bras, de l'écraser du poids de ta haine ? Voir sa bouche hideuse se tordre, ravaler son venin. Lire l'épouvante dans ses yeux. Lacérer, rageusement sa figure blême. »

Je bondis quand Clément touche mon bras et dit : « Je vais faire un tour de pédalo avec Suzette. »

Pédalez donc sans fin au fond du lac !

Je tremble. Je ne peux vivre avec des sentiments aussi horribles. Je pense sérieusement à rompre. À lui laisser le champ libre.

Rupture

Conditionnement physique demain matin. Je mettrai fin à notre tandem. J'ai cherché la lumière à travers les pensées échevelées de mon cerveau. Deux mois que je sème des indices. Je lui ai expliqué mon malaise plus d'une fois. Il revoit toujours cette femelle. Nous aurions pu jouir d'une existence sans tracas, sans « tiraillage ». Comment une larve du genre peut-elle saigner à ce point notre quiétude ? J'en veux à Clément.

J'étais pourtant heureuse avant lui et cette peste. Cela ne sera pas trop difficile de revenir à mon ancienne vie. J'imagine. Sans l'embrasser, je prends place dans la voiture. Je ne mets pas ma main sur sa cuisse.

— Il faut que nous causions après le cours, lui dis-je.

Trop vite, le moment arrive. Nous commandons un café. Clément, nerveux, change de place deux fois. Trop de fumée ! trop de soleil ! J'ai l'impression qu'il voudrait être ailleurs. Moi aussi. Cette rupture est comme un coup de poignard. Or, je préfère inciser la plaie plutôt que de brûler vive. Tourné vers la baie vitrée, il finit par s'asseoir dans l'ombre de lui-même.

Je lui déclare calmement vouloir cesser nos fréquentations car je ne suis pas heureuse là-dedans. Je n'accepte plus d'être la deuxième.

Il devient pourpre, se lève sans finir son café. Fin limier, il riposte :

« J'me doutais que c'était ça qui s'en venait. »

Derrière sa chaise, digne, en mordant les mots, mais sans hausser le ton : « J'te ramène chez toi. »

Terminus ou virage

Je suis une main qui pense
à des murs de fleurs
à des fleurs de murs
à des fleurs mûres.

PAUL-MARIE LAPOINTE

Quand saisissons-nous la mesure de nos décisions ?

Entre le noir et le blanc, je trace une ligne. En blanc, les avantages à vivre seule. En noir, la vie à deux. J'oublie de dresser une liste rouge pour l'amour.

Dès le lendemain, je reçois une lettre de Clément. Il se dit désemparé, mais respecte mon choix. Je suis ébranlée. Ses missives m'atteignent jour après jour. Clément affirme que je suis « LA femme de sa vie ». Je lui manque. Il m'aime. Il ne supplie pas. S'il le faisait, j'aurais une raison de plus pour reprendre ma parole. Je me trouve cruelle. Jamais je ne suis revenue après une rupture. Mais là, j'hésite, troublée, déchirée par des sentiments contradictoires.

Plus de pincement au cœur, mais des crevasses d'où s'écoule ma résistance. Ma lutte vaine contre la passion et sa souffrance.

Suis-je à un virage ou au terminus ?

Avec lui, j'embrassais l'humanité, je croquais le soleil, je cueillais les petits bonheurs.

Seule, je voudrais jouir de ma liberté. Mais un fiel amer brûle ma gorge. Chaque nuit, je rêve à un mur. Ce mur de solitude me coince, m'emprisonne, m'étouffe. Je crie, je hurle. Personne ne vient.

Après une semaine de tourments, croyant Clément au chalet, je me rends chez lui porter une lettre de réconciliation. Je le trouve en train de ratisser les feuilles sur son terrain. Il m'accueille, heureux, sans rien demander.

Vaincue, je prends le virage.

À L'ÉGLISE

Nous brûlons de désir. Nos lèvres en feu s'embrasent, notre passion enfièvre notre souffle, plus torride qu'aux premiers jours.

J'apprends avec une joie inénarrable la disparition de la subtile Suzette. Clément l'a irrévocablement rejetée. Il lui a cédé ce qu'elle avait déjà : auto, assurances, argent, etc. Elle ne fera plus son entretien ménager et doit cesser de le harceler. On ne la reverra plus. Clément s'accable de reproches.

– Comment ai-je pu être aussi vulnérable ? J'aurais dû m'en rendre compte ! Je m'excuse de n'avoir pas écouté tes recommandations.

– Elle était très adroite. N'en parlons plus.

J'essaie de le rassurer. J'ai peine à retenir mes élans de jubilation.

Débarrassés de cette sangsue, nous sifflons de satisfaction.

Ce dimanche-là, Clément insiste pour m'emmener à la messe. Il tient à remercier le Seigneur pour notre réconciliation. Une question me démange. Comment se fait-il que j'aie eu le même résultat sans prier ? Inutile de le lui mentionner. Si cela le réconforte, pourquoi lui faire ombrage ?

Aujourd'hui, il veut exhiber son bonheur. J'accepte sans réticence de l'accompagner à l'église. Je suis curieuse de voir si les mentalités ont changé depuis une trentaine d'années.

Son pas sautillant et son allure joviale font plaisir à voir. À notre entrée dans le vestibule, le curé donne la main aux paroissiens. Fébrile, Clément, qui le connaît déjà, fait les présentations. Je suis déçue. La poignée de main molle et moite de ce membre du clergé me dégoûte.

Mon amoureux semble heureux, bienheureux même. Il me désigne le notaire, le médecin, le maire de la place.

Je m'amuse à distinguer les paroissiens des vacanciers. Sur le banc inconfortable, mon soupirant se rapproche. Il prend ma main et, le regard lumineux, me sourit. Il semble au septième ciel. Je demeure confondue de voir l'importance de ma présence, ici à ses côtés. Le sacrement du mariage revêt une dimension sérieuse pour lui. Peut-être devrais-je reconsidérer sa proposition ?

La première fois

C'est l'hiver. Notre sentiment est toujours aussi palpitant.

Clément, depuis les premiers jours, m'invite à vivre une autre de ses passions. « Tu vas voir, c'est à la fois stimulant et relaxant. » J'hésite encore.

Son bras autour de mes épaules se fait rassurant. Il chuchote : « Nous pratiquerons tôt le matin, sans nous presser. Mon énergie est alors au maximum. »

J'ai un peu peur. Je suis quand même prête à tenter l'expérience. Clément m'enlace, exubérant.

Dès le lendemain, mon bouillant lapin me réveille d'un baiser. Nous glissons vers ce plaisir, nouveau pour moi.

Je suis transportée, émerveillée. Nous essayons de nouvelles positions, longeons des courbes, atteignons des plateaux, des sommets. C'est excitant.

Nous partageons la même jouissance. Pour la première fois, je fais du ski alpin.

Clément a loué pour moi l'équipement et les services d'un instructeur. Je déborde d'enthousiasme. Les jours suivants, nous y retournons. J'aime de plus en plus ce sport. Il me procure alors un laissez-passer, ainsi que skis, bottes et bâtons. Par la suite, régulièrement, nous nous rendons à Tremblant. Clément me prête son vieux parka. Il m'en procurera un très chaud, dit-il. Nous éprouvons un égal ravissement.

Jour de Questionnement

C'est mon anniversaire aujourd'hui. Clément et moi nous rendons au chalet de ma fille. J'avais hâte de le présenter à mes enfants. Maintenant je ploie sous les doutes. L'atmosphère est lourde durant le trajet. Les sapins croulent sous la neige. À notre arrivée, mon gendre dégage l'entrée. Clément lui offre son aide.

À Noël, il y a deux jours, je n'avais pas reçu de cadeau. J'avais pensé qu'il préférait me le donner pour mon anniversaire si proche.

En préparant les hors-d'œuvre, je raconte à ma fille ma déception. Ce matin, avant notre départ, comme tous les jours depuis juillet, mon soupirant m'apporte gentiment mon déjeuner au lit. J'apprécie sa constance. Toutefois, je l'avais vu faire deux chèques dans les quatre chiffres pour ses garçons. Je n'en attendais pas autant, mais je souhaitais me payer un petit luxe : la jolie veste à cent dollars aperçue dans une boutique. Il m'a tendu une enveloppe bleue où il avait écrit : « Je cherche toujours un moyen pour te faire comprendre combien je t'aime et combien tu m'es chère. Je veux te couvrir de cadeaux, de bijoux, de fleurs, de baisers… » Ça promettait !

Dans l'enveloppe, quelques billets. J'ai compté, intriguée : soixante-douze dollars… Adieu, petite veste ! Pourquoi ce montant biscornu ? Pourquoi pas cinquante ou soixante-quinze ? Clément m'a répliqué : « Soixante-douze… pour ton âge, voyons ! » J'ai été piquée dans mon orgueil et déçue. Je lui ai rappelé un peu sèchement avoir soixante-sept ans aujourd'hui !

Comme s'il en fallait davantage, il a ajouté : « Nous n'irons pas en Floride en mars, j'ai changé d'idée. » Je me faisais une telle joie d'annoncer la nouvelle à ma famille. Je nous voyais déjà nous aimer au bord de la mer.

Est-il sincère quand il dit m'aimer ou est-ce que ce sont des paroles en l'air ? Pourquoi ce revirement ? Lui, toujours si généreux. J'avais cru aveuglément tous ses serments. Je m'en veux d'avoir été aussi naïve. Ai-je raison d'avoir confiance en lui ? Déjà, quelques sorties sont décalées. J'attends toujours le parka qu'il m'a promis. Je sais bien qu'il n'est pas obligé. Mais alors, pourquoi le répète-t-il à tout moment ? Le voyage en Europe, je n'en ai plus entendu parler.

Les hommes rentrent. Je doute encore...

Mes appréhensions vacillent comme la flamme des chandelles sur mon gâteau d'anniversaire.

Réflexions

Après réflexion, je bâillonne ma déception. L'équipement de ski reçu en novembre était mon cadeau de fête. C'est très généreux, je sais. Cependant, j'aurais aimé que Clément considère mon anniversaire à part. Ce n'est pas ma faute si je suis née deux jours après Noël. Suis-je devenue sangsue à mon tour ? J'ai honte.

J'ai souvent été désillusionnée à l'occasion de ma fête. Enfant, déjà, je cherchais à la transposer en juin, comme celle de ma sœur, qui en avait une bien à elle. Rien n'a changé. On célèbre encore Noël et mon anniversaire le même jour. Ce n'est pas juste ! Deux fêtes valent mieux qu'une !

Cette année, en me donnant une somme égale à mon âge, Clément a voulu me surprendre. Il a réussi. Il avait ajouté les taxes en boni. J'ai moins aimé.

J'aurais dû lui remettre le surplus. S'il peut se souvenir de mon âge maintenant !

Je vois bien que Clément ne vivra jamais assez longtemps pour concrétiser tous ses rêves. Alors, au lieu de prendre ses dires pour des promesses, à l'avenir je les retiendrai comme des projets sans échéancier. Cela m'évitera des déceptions. D'ailleurs, c'est ce qui me plaît chez lui. Il n'arrête que pour bondir plus loin. Un nuage gris est passé au firmament de notre félicité.

Clément arrive : il exhibe deux billets pour la Floride.

CORA

Comme chaque année, Cora, la sœur de sa femme, sera là pour le temps des Fêtes. Avec ses enfants et sa sœur Gertrude, la famille sera complète.

Ce vingt-neuf décembre, elle s'amène, la grosse Cora. Son mari, ses enfants, ses sauces la suivent. Après avoir secoué la neige de ses bottes, elle secoue la parenté. Avec elle, tout est planifié.

Le repas s'étire… Habitué à faire la sieste, Clément somnole.

Je le pousse légèrement du coude et lui dis : « Tu serais peut-être mieux dans ton lit… »

Cora m'interrompt et hurle : « Clément, va te coucher ! »

Il sursaute. Moi aussi. Mon grand-père employait ce ton pour chasser son chien. Je serre les poings. Autour de la table, on rit. Clément s'excuse et monte se coucher. Il semble habitué.

Quant à moi, Cora est indigeste. En ragoût, en béchamel, en court-bouillon, elle me reste sur l'estomac.

C'est une ogresse, une boulimique du nettoyage ; elle s'empiffre de travail. Range son garde-manger alphabétiquement. Son appétit de dévouement est insatiable. Cora alimente bien haut le flambeau de la vertu. Elle déploie ses « zèles » aux alentours. Impose généreusement ses recettes de vie. Selon son expérience, une pincée d'affection suffit à un couple de septuagénaires. Après quelques jours auprès d'elle, j'apprends à éclaircir la sauce de ses faits et gestes. Elle a soif de se sentir importante.

Elle raconte que, chez elle, son mari dort toute la journée. Il passe ses nuits à regarder les émissions de sport au petit écran. Sans lui donner raison, je crois le comprendre !

Quand Cora cuisine Clément en disant : « Veux-tu bien me dire pourquoi tu mets ton spaghetti avec les boîtes de conserves ? », je réplique : « Il a autre chose à faire que de classer ses boîtes de petits pois. Moi de même. »

Février enflammé

Le désir est compliment.

Jovette Bernier

Ce mois de février 1997 crépite comme une flamme. Certains matins, Clément m'entraîne dans toutes les pièces du chalet où il a allumé des dizaines de bougies dont les reflets dansent comme des feux follets. Des arabesques de givre se dessinent sur les vitres. Nos ombres joyeuses hantent les murs.

À d'autres moments, il entre dans ma chambre, sur la pointe des pieds. Ses yeux brillent comme ceux d'un enfant comblé. En rougissant, il tente de refermer sa robe de chambre qui pointe vers l'avant. Il m'embrasse et chuchote : « J'ai ressenti une forte vibration à mon réveil. Je sens que je vais faire des étincelles. As-tu le goût de braiser ? » Comme pour le ski, sa puissance est au maximum le matin. Être tirée du sommeil, à l'aurore, en catimini, m'enchante. Nous vivons notre passion sans précipitation. Dans le silence matinal, il gazouille.

Plus tard, fougueux, nous nous rendons sur les pentes de ski. Pour la quarante-septième fois cet hiver. Clément se montre impétueux. Il m'émerveille. J'enfile les virages, propulsée par les battements de mon cœur. À la brunante, nous rentrons, repus et heureux.

Perspectives

Clément

Par hasard, je découvre quelques mots griffonnés par Clément : « Cette silhouette, je veux la garder en mémoire. À sa sortie de douche quand, si joliment, elle remonte ses cheveux, son geste gracieux entrebâille son peignoir. Mon désir se renforcera tout le long du jour sur cette image.

Une chose m'inquiète cependant, une seule ! Est-ce que j'aurai des ratés ? Ah ! que j'aimerais retrouver ma jeunesse ! Ce soir nous ferons l'amour devant le foyer, un fantasme que je caresse depuis longtemps. »

Hélène

J'ai bien vu l'étincelle dans son œil. Quand je le frôle, il frétille. J'aime me sentir désirée. Mais comment le réconforter lors de ses fléchissements occasionnels ? Ses pannes lui donnent un air de petit garçon qui a perdu une boule de son cornet.

Ma bouche ou ma main se fait alors aguichante et glisse sur l'organe en péril. Durant la mise en branle, ma griserie s'amplifie, mon imagination s'exalte. Émoustillé, il me gratifie de caresses exquises. Nos corps se fondent.

DÉBROUILLARD

Débrouillard, mon Clément ? Avec lui, les réparations sont vite faites. Rien ne l'arrête. Il se fait électricien pour réparer le lave-vaisselle. On est rapidement mis au courant. En effet, dès qu'on met le contact, on reçoit une décharge électrique.

L'autre jour, il a joué au plombier. Maintenant, quand on ouvre le robinet, les tuyaux chantent pour nous remercier.

Il a accroché quelques tablettes au mur. Depuis ce temps, les bibelots penchent la tête. On a un nouvel angle à observer. Est-ce du cubisme ou du surréalisme ?

Il aime les nouveautés. À l'aide d'un cintre, il fabrique un serpentin pour soutenir les verres à vin et l'installe sous la tablette de l'armoire. Les verres applaudissent et dansent quand on referme la porte. Il sait mettre de l'ambiance !

Tout ce qu'il peut « patenter » sans frais l'intéresse. Continuellement en alerte, son cerveau cinq étoiles invente. Quelques erreurs peuvent se glisser à l'occasion. Si tout était parfait, où serait la fantaisie ?

Des chaises de plage

Comme un coq sur ses ergots, à l'aéroport de Miami, Clément caquette un chapelet d'injures. La compagnie refuse de lui remettre la voiture dont la location est déjà payée. Son permis de conduire n'est plus valide. Je ne l'ai jamais vu comme ça. Le petit oiseau inquiet que je suis se demande comment il rapiécera son dépit. Il part précipitamment. Je le suis. Nous prenons un taxi jusqu'au motel. Assis sur le bord de la banquette, il ronchonne. Je ne dis mot. Je ne l'avais jamais vu s'emporter. Je craignais une suite fâcheuse. Or, rapidement il se calme.

Ce matin, sur la plage, un vent tiède a tout apaisé. Des chaises de plage, un luxe ! Leur reflet se faufile entre les flots. Le jour se lève, nous sommes là, rapprochés. Le cri des goélands allège nos émotions. Nous formons le désir de nous tailler quelques jours de plaisir.

Nous tricotons les rayons du soleil. Les mailles du sable coussinent nos pas. La mer vivifie nos membres. Nos corps se calent dans les chaises pliantes. Nous enchaînons avec notre sieste érotique après le repas du midi.

Au fil des jours, nous dînons dans différents restaurants avec un couple de vacanciers. Clément perd sa carte de crédit. Pourtant, en duo, nous déclarons que ce sont nos plus belles vacances ! Les chaises de plage en auraient long à raconter.

LUNE ARGENTÉE

Lune et mer, complices incompa-
rables, rendent cette soirée inou-
bliable.

Cette clarté de nuit supprime tracas,
soucis.

Mon cœur se réjouit. Mon âme irradie.

Un sentiment de reconnaissance
envers cette splendeur me transporte.

Les effluves salins libèrent mon esprit.

Sa façon de marcher en incorporant
ses pas aux miens me bouleverse.

La main de mon amant gorgé de paix
s'imprime dans ma chair.

Les lames échouent sur le rivage
comme nos corps moulés sur le sable.

Au bord de la nuit, à la chute des
étoiles,

La lune argentée nous éclaire,
impudique.

Retour

*On a un goût féroce de lire au
jardin et d'écrire au printemps.*

Jeannine Lalonde

À notre départ pour la Floride, le
printemps s'accrochait encore à un
pan de l'hiver.

Il nous attend, velouté, au retour.

L'univers rajeunit.

Les parfums naissants des jeunes
pousses escaladent les montagnes.

Les muguets font branler leurs
clochettes.

Des feuilles d'un vert tendre dentellent
la forêt.

Le vent me love comme un amant.

Ses yeux embrassent ma peau.

Clément cueille une tulipe rouge et me
l'offre.

Comme si je renaissais,

Goutte à goutte… je goûte.

Étrange
partie de sucre

Ce matin, nous partions joyeux, Clément, sa belle-sœur, son fils et moi, pour une partie de sucre.

En revoyant son ami, propriétaire des lieux, mon compagnon a chancelé. Je l'ai vu blêmir à la vue du teint verdâtre de son copain, devenir muet devant les ravages de la maladie.

L'année dernière, cet homme travaillait encore la terre et la rendait productive. Aujourd'hui, sa voix est à peine audible, ses pas incertains, ses gestes atrophiés, ses yeux délavés, son sourire dérisoire. Son épiderme terreux et froid hurle sa déchéance.

La musique joue à tue-tête. Des groupes turbulents envahissent la cabane. Les serveuses déposent bruyamment les assiettes sur les tables. Malgré le vacarme, impossible d'étouffer le cri dans la prunelle sans flamme de son ami. Clément se bouche les oreilles. Puis, sa main tremblante cherche la mienne. Alors il m'entraîne à l'extérieur. Le soleil nous aveugle un moment. Et, dans une course irraisonnée, Clément, affolé, fuit sa terreur, me tirant à sa suite. À bout de souffle, dans ce chemin d'ornières, nous n'entendons que les battements de notre cœur.

Plus loin, Clément, tête basse, me dit qu'il refuse cette vision d'un vieillard grugé par la maladie. Il relève la tête. Lui, il est éternel. Un rire acide sèche sur ses lèvres. Son regard s'égare. La tire, ce sera pour une autre fois. Son ravissement s'est éteint, comme les jours de son ami.

Une odeur de mort colle à mes pensées durant le trajet du retour.

Un jour d'été

Si les gens savaient comment la vie est facile quand on est heureux, ils le seraient tout le temps.

Réjean Ducharme

Que la mer soit calme ou déchaînée, depuis le premier jour, je savoure mon déjeuner au lit chaque matin. Mon corsaire préféré échoue sur mon île de sable. Selon les marées, il fait déferler un océan de plaisir ou des flots de tendresse. Je chavire devant ses mots et ses mangues en valenciennes. Ses quartiers de lune, déguisés en orange séductrice, me plongent dans le ravissement.

Nous poursuivons notre délectation à la cuisine. Des fromages forts fondent dans la bouche. L'arôme du café m'« énergise ».

Puis, sur la causeuse, nous murmurons, amarrés l'un à l'autre. Je deviens sa sirène, sa déesse de la mer, sa muse. Nous nous prélassons à loisir.

Ensuite, nous traversons champs et forêt cernés d'odeurs de résine, d'humus et de fraîcheur. Nous cueillons des framboises. À notre retour, nous jetons l'ancre sur le terrain ; nous élaguons les géraniums et les violettes.

Un petit périple en pédalo, une baignade, un feu de camp, à la campagne en été ; entre les plaisirs nous naviguons. Ce jour-là, nous cordons du bois dans le cabanon. Mes mouvements sous ce toit trop bas me donnent un tour de reins.

Main de soie

Presque deux mois à tâtonner pour soulager une douleur aiguë au dos. Médecins et médicaments n'apportent rien. Sur le conseil d'une amie, je me rends dans une clinique de physio-thérapie. En cinq minutes, le spécialiste trouve le point sensible. Un traitement aux ultrasons, quelques étirements chaque jour, et me voilà presque guérie de mon entorse lombaire. Enfin, nous pourrons reprendre notre tricot amoureux.

Ces six semaines n'ont pas effiloché notre fougue. Pour être plus près des services, je reste chez moi, en ville. Nous nous contons fleurette au téléphone. Durant mes jours de souffrance, Clément me rend des visites attendrissantes. Il m'expédie de très jolies lettres. Cette convalescence qui me cloue au lit m'oblige à réfléchir.

Au crépuscule de ma vie, des ombres au fond de moi m'empêchent de croire aux bienfaits du mariage. Est-ce que ma liberté doit passer avant tout ? Si, malgré ma crainte, j'y trouvais la paix ? Ma route pourrait être transfigurée.

Au chalet, une chaise longue matelassée, toute neuve, m'attend. Clément me promet des massages ensorcelants de sa main de soie.

Je me laisse bercer.

GRAND REMOUS

La mère de Clément lui a si souvent raconté l'histoire de ses aïeux. Quelques-uns de ses ancêtres immigraient et se retrouvaient à Grosse-Île, en 1850. Ces Irlandais avaient entassé tous leurs biens dans quelques malles pour venir au Canada. Chez eux, la famine régnait. La propagande du gouvernement canadien leur promettait un avenir doré, l'abondance.

Les vagues flagellaient les navires. Au fond de la cale, ça grouillait de vermine. Le ventre des voyageurs gargouillait. Bloqués à Grosse-Île, submergés d'interdictions, grillagés sous la douche, comme des brigands, ils étaient mis en quarantaine, parce que griffés par le typhus ou le choléra. La majorité mourait, les nombreuses croix nous le confirment. Ils ne se sont jamais rendus au port de Québec. Un seul des ancêtres de Clément s'y est établi. En ces lieux longtemps interdits au public, nous sommes revenus, comme pour un pèlerinage. Clément est heureux. Je suis contente de l'avoir accompagné. Maintenant, je saurai de quoi il parle.

Nous dînons à l'auberge de Montmagny et y passons la nuit. Un an de fréquentations déjà. Nous parlons d'avenir. Et si notre sort nous glissait entre les doigts comme il l'a fait pour eux, comme il le fait trop souvent.

Pour la énième fois, il me demande de l'épouser. Cette fois, j'accepte. Pourquoi ne pas mettre le cap sur l'avenir à deux ?

L'ANNONCE

Trois heures ? J'entends déjà ses pas, plus rapides ce matin. Il farfouille dans l'armoire, le réfrigérateur. Aujourd'hui, dimanche, Clément annoncera à ses fils notre intention de nous épouser. Ils seront là pour le dîner.

Hier, comme un bourdon, il s'est affairé. La tondeuse a ricané. Les géraniums égayés sourient, quelques-uns d'entre eux parfument la maison. Les fenêtres se réjouissent de goûter au soleil. Les murs ont été allégés de plus d'un macramé. Les rideaux folâtrent au vent. De nouvelles lampes se moquent de la pénombre.

J'attends fiévreusement la réaction de ses fils à notre projet. Ils paraissaient heureux de notre rencontre, mais le mariage...? Quelquefois, c'est dérangeant ! À peine deux ans après le décès de leur mère ! J'hésite entre la réserve et l'assurance. Je ne voudrais pas précipiter les choses, mais Clément insiste depuis si longtemps.

Dès leur arrivée, ils me mettent à l'aise. Nous prenons l'apéro… les hors-d'œuvre… une entrée froide…. une entrée chaude… J'ai chaud.

Les convives sont joyeux, complimentent leur hôte. Aucune déclaration. Le plat principal… les fromages… le dessert… Clément reste muet. Son rire est fictif, trop délirant. Pourquoi cale-t-il son vin aussi vite ? J'avale difficilement. Soupçonne-t-il une fâcheuse réaction ? Cela accroît mon appréhension. Je frissonne sous la peau maintenant. Qu'on en finisse, sinon je vais changer d'idée. Je trouve un prétexte et m'éloigne.

À mon retour, on applaudit. Clément a parlé ! Ils sont enthousiastes, s'occuperont de tout, commencent la liste d'invités. Nous sommes le dix-sept août. Nous envisagions de nous marier en décembre. Ils insistent ; pourquoi pas en octobre ? Nous verrons.

Ma berçante

De retour chez moi, je m'empresse d'annoncer notre mariage à mes enfants, parents et amis. Tous se disent heureux pour moi.

Soudain, je frissonne. Ma berçante me suivra-t-elle ? Il me faut un p'tit coin pour l'installer, et mes livres, et la lampe de maman, et...

Combien d'heures passées dans cette chaise à bercer mes rêves, mes joies, mes enfants ? Chaque marque dans le bois me rappelle un événement. Avant de connaître Clément, j'y basculais plus souvent ma solitude, mon ennui, mon corps inutile. Les bras de Clément, si chaleureux, prolongeront-ils ceux de ma berçante ? Son corps formera-t-il une courbe plus sécurisante que celle de ma berçante ? Saura-t-il, comme elle, m'emmener vers de fabuleux voyages ?

La vie est une suite de fusions et de détachements, de pertes d'êtres et d'objets. Y aura-t-il perte cette fois encore ?

Le chat, dignement, descend du divan. La vague de notre affliction se fait trop houleuse sans doute.

Pelotonnés l'un contre l'autre, Clément et moi sanglotons.

Les funérailles de Marie-Soleil se déroulent à la télévision.

Est-il possible d'éteindre un soleil et sa flamme ?

C'est arrivé.

Nous pleurons sur eux… sur nous.

Si, sur mon soleil à moi, une ombre passait, si Clément s'éteignait, tout basculerait dans l'abîme de la désillusion. Nous sommes si heureux !

Pourquoi serait-ce lui ? Je fabule. Pourquoi pas un autre dont la femme veut se débarrasser ? Je me heurterais à un sombre coup du destin.

Que d'idées terribles ! S'il fallait… Il a déjà dit : « Je me sens coupable d'être aussi heureux sans bénédiction nuptiale. »

Ce serait tragique qu'il meure en se croyant coupable. Coupable de quoi ? Coupable de nous aimer ? S'il avait cette pensée d'un châtiment avant de mourir...

Je me sens vide. La tête, le cœur, le corps.

 110

Derrière la porte

Ce vingt et un août, j'attends...
j'attends... et j'attends.

Il ira chercher son petit-fils pour la fin
de semaine. Et il passera chez moi vers
dix heures quinze.

Mes bagages sont prêts. J'ajoute un
jeu pour son petit-fils, en cas de pluie. Je
marche de mon fauteuil à la fenêtre pour
la trentième fois au moins. Il n'est
toujours pas là. Impatiente, je téléphone
chez lui. Pas de réponse. Il est en route,
je présume. À onze heures trente, très
inquiète, j'appelle la mère de l'enfant.
N'ayant eu aucune nouvelle, elle s'interroge aussi.

Je me rends chez Clément en taxi.
Devant portes et fenêtres closes, son chat
miaule. Mes jambes se dérobent. Mains
tremblantes, j'ouvre... J'appelle Clément...
Le climatiseur gronde. C'est sombre et
froid. Un frisson me parcourt. Une
assiette marbrée de confiture figée sur la

table. La porte de la chambre est fermée !
Le chat frôle mes mollets. Je sursaute. La
gorge serrée, j'entre.

Sur son lit, là, le regard immobile. Lui,
non ! IMPOSSIBLE !

Je touche son bras... dur et froid.
IMPUISSANCE, DÉSESPOIR.

IL VOULAIT REFAIRE SA VIE. IL N'A PLUS DE
VIE.

Un automate

Pas le temps de m'appesantir sur ma peine. Je fais le 911. Je rejoins ses fils. Comme un automate, je donne la pâtée au chat. Ambulanciers et policiers arrivent. Tour à tour, ils m'interrogent :

« Prenait-il des médicaments ? Où sont-ils ? Sa carte d'assurance-santé ? »

Je cherche nerveusement.

« Avait-il eu des malaises auparavant ? »

D'après la rigidité du corps, le décès remonte à hier soir, m'annonce-t-on.

« Qui êtes-vous ? Comment êtes-vous entrée ? Quand lui avez-vous parlé la dernière fois ? Comment était-il ? Avez-vous informé sa famille ? »

Enfin, le benjamin de Clément arrive. Ému, il me serre contre lui. La tension tombe. D'une voix hachurée par les sanglots, je raconte :

– Hier au téléphone, Clément me disait fièrement : « J'ai assemblé le bureau pour mon nouvel ordinateur. Je suis fatigué, mais content. Je t'apporterai deux roses de mon jardin. Je t'embrasse. »

Accompagnée de son garçon, je retourne auprès du corps de Clément.

OASIS DE PASSION

Qu'a-t-on fait de toi ?

Toi, si bouillant d'énergie,

Toi, ma source d'ivresse.

Ton habit prévu pour la noce

Comme un linceul t'enveloppe.

Ton corps ne frémit plus sous mes caresses ;

Ton regard pétillant s'est éteint pour toujours ;

Ta bouche avide ne me fera plus vibrer à l'infini ;

Tes mots d'amour, désormais séquestrés derrière tes lèvres cousues.

Chaque doigt de tes mains si agiles gît, pétrifié ;

Ton odeur même s'est évanouie.

Mon sang cale au fond de mon corps.

Déracinée, je n'ai plus de sève.

Ma peau désemparée sèche,

Ma gaieté s'envole, mon rire étouffe à jamais.

Nous avons eu droit à notre oasis de passion.

HURLANT SILENCE.

« Et mourir n'arrangerait rien »

Serrant frileusement mon châle sur ma poitrine, j'entends vaguement le gazouillis des oiseaux, comme assourdi par le brouillard du matin.

L'aube baigne dans le lait des nuages, le vent ne dort que d'une aile.

Irréelle et fugitive, sur le miroir de l'onde

passe une ombre sombre d'outre-tombe.

Cet abandon irréversible me projette tantôt dans une peine indicible, tantôt dans une rage furieuse.

Mon corps glacé cherche le feu de ses membres.

Je meurs. Rompue par la noirceur, l'injustice.

Le jour se lève. Je suis encore là, pensive, à le contempler sans comprendre.

Pourquoi exister ?Un jour de plus ?
Pour qui ? Pourquoi ?

Le désespoir m'engloutit vive.

Sa casquette

Je ne veux pas de cendres ou d'un cadavre rigide et froid en mémoire.

Clément était trop dynamique pour ce genre de rappel.

Je veux sa casquette. Pour l'odeur. J'ai besoin de cet apaisement. J'aime y enfouir mon visage. C'est doux, chaud, épicé. Son odeur ravive mes souvenirs du chalet. Avant de déballer quoi que ce soit, il me prenait dans ses bras et nous nous étreignions. Début d'une suite de moments heureux.

Ses effluves s'imprègnent dans tous les pores de ma peau. Je savoure son parfum. Je sens la pression chaude de ses mains, l'entends murmurer les mots de toujours.

De fortes images de son passage dans ma vie se déroulent à travers la visière de sa casquette.

L'HÉRITAGE

« On ne te laissera pas tomber », m'avaient dit les garçons à la mort de leur père. J'avais reçu cette promesse avec réserve, en ce matin endeuillé. De simples vœux sûrement. Il y a quatre jours, à l'annonce de notre union prochaine, ils applaudissaient. Or, l'ombre des absents reste sans voix. L'héritage ira à ses fils, ils ne me doivent rien. Je garderai toujours le souvenir d'un grand Amour.

Quinze jours plus tard, en compagnie du cadet de Clément, je me rends au chalet chercher mes effets personnels. Il insiste pour savoir si je veux des souvenirs. J'ai déjà sa casquette de cycliste.

Il poursuit : « Aimerais-tu habiter la maison familiale ? Sans frais évidemment. Penses-tu revenir au chalet ? Tiens, v'là les clés ! Veux-tu sa voiture ? Mon frère est d'accord. »

Étourdie, je demande à réfléchir.

Renversant

Pendant quelques jours, je pense sérieusement aux offres qu'on m'a faites. Son fils et moi nous rencontrons au restaurant. J'espère qu'il comprendra.

Je ne peux habiter sa maison. L'offre est généreuse. Un grand cinq-pièces meublé, lave-vaisselle, baignoire à jets, sous-sol fini, garage. Mais si je m'y retrouve seule, je crains de côtoyer des fantômes. Au chalet, nous étions comme un violon et son archet. Sans lui, impensable mélodie. Et je n'ai pas envie de rouler en Cadillac. C'est difficile à garer et ça dépense beaucoup d'essence.

Il soupire, comme soulagé : « Si t'avais le choix, quelle marque de voiture choisirais-tu ? »

– Une Volkswagen. C'est ce dont j'ai toujours rêvé.

D'un bond, il se lève et enchaîne : « Il y a un annuaire ici ? »

On se rend chez le concessionnaire.

Ébahie, avant même le règlement de la succession, je choisis une Volks. De couleur bleue. Neuve. Assurances et plaques comprises. Chaque année, depuis cinq ans, le fils de Clément règle les assurances.

Renversant. Lui et son frère ne m'ont pas laissée tomber.

VIDE

> *La mort n'atteint pas seule-
> ment celui qui doit fermer les
> yeux à jamais mais aussi les
> autres. Tous les autres qui re-
> cevront l'horreur et l'absence
> en partage.*

MARIE-CLAIRE BLAIS

Je me rends seule au chalet. C'est la première fois depuis sa mort. Peut-être son esprit y sera-t-il plus présent ? Une atmosphère de brume dormante flotte. Après en avoir fait le tour, je m'installe et j'écris.

Mon amour, aujourd'hui rien n'est plus pareil. J'ai vu tes fleurs arrachées, désormais sans parfum. Le foyer éteint, silencieux. Ton fauteuil, froid, ne grince plus. Les stores se sont refermés sur notre ardeur. Couvertures bien tendues, ton lit, vide, cinglant comme une gifle à la vie. Incrustée dans les plis de la causeuse, la

forme de nos corps, sans chair, sans os.
Un embâcle s'est formé entre le passé et
le présent. Je pars, tu n'es pas plus ici
qu'ailleurs. Tout est cruellement mort.

Jamais plus je ne reviendrai.

FAUSSE NOTE

> *Rien ne soulage de l'absence,*
> *ni l'effort, ni le sommeil, ni la*
> *musique, ni l'alcool.*
>
> CLAIRE MARTIN

Comme dans un orchestre, tout est en place. Cette nouvelle année se jouera en mode mineur, sans Clément.

Je suis invitée chez son fils, de même que la parenté présente au chalet l'année dernière. Sa belle-fille, un dièse dans la voix, m'apprend qu'un héritier de Clément naîtra dans quelques mois. Les parents affichent un air émerveillé. J'applaudis le trio. Le grand-père aurait approuvé vigoureusement.

La grosse Cora déblatère contre une de ses voisines...

Tout à coup, cette chaise au dossier de paille, implacablement vide, hurle l'absence de Clément. Une dissonance majeure brouille ma quiétude. Une souffrance intolérable m'écrase. J'étais pourtant heureuse d'être conviée à cette fête. J'entends ma solitude résonner au fond de moi. Avec mon amour, je pouvais faire partie de la famille. Sans lui, l'harmonie est rompue.

Je m'isole… Je fais fausse note.

La meurtrière

Dans l'enceinte du fort, autrefois, la meurtrière servait à surveiller l'ennemi. Aujourd'hui, qui est l'ennemi ?

Des pierres sombres qui transpirent le passé me glacent. Une meurtrière m'interroge. L'ombre gruge l'ouverture comme un rat ronge son trou.

Si je fige et attends la mort, inévitable, je me tue moi-même. Est-ce qu'un avenir étroit comme cette fenêtre taillée dans la pierre me séduit ?

Un rayon de soleil sur l'onde m'attire davantage. Il semble m'amener vers un univers infini.

Devant l'issue, je choisis de créer et de VIVRE.

Je vais ouvrir la voie à un projet personnel. Mais lequel ? Un jour, je veux tout faire. Le lendemain, je ne veux plus rien faire.

Délivrance

Je dis souvent que le poète, comme un scaphandrier, descend dans les profondeurs, et il ne sait pas toujours ce qu'il va rapporter à la surface. Mais il faut qu'il revienne respirer sinon il y reste.

Roland Giguère

Désespérée de mon désespoir, j'opte pour l'écriture. L'intériorisation de mes bouleversements intérieurs, sur papier, me surprend. Une parcelle de mon être tire les ficelles de mes entrailles. Un enfer de douleur me brûle les boyaux, me déchire. Je me rebiffe. Mes doigts lourds vomissent des râles de rage. Des pensées macabres m'accablent. Mes mots s'entêtent, me harponnent. Ces feuilles noircies me troublent.

À d'autres moments, les lettres déboulent, esbroufent, roucoulent;

comme des enfants espiègles, ébou-
riffées, elles m'entraînent dans leur ronde.
Penchée sur la table de la cuisine, près
du radiateur, j'écris. Je vois danser des
jeux de mots, des couleurs, des sons. Ces
jours-là, le tic-tac de l'horloge marque des
minutes salvatrices. L'odeur du café me
borde. Le réfrigérateur ronronne ; Gouli,
le chat de Clément, s'approche. À travers
les rideaux jaunes, un rayon de soleil
claque des doigts.

Des lambeaux de chair relient mes
confidences. Aujourd'hui, j'emballe du
ruban de mes espoirs ce cadeau de
renaissance à la vie.

J'accouche de mon premier livre. Je
délivre Clément. Je me délivre.

Fin

TITRE DES FRAGMENTS